D1383084

Ecrit par Jean-Pierre Verdet
Illustré par Donald Grant

Conseil pédagogique :
Equipe du bureau de l'Association Générale des Instituteurs et Institutrices des Ecoles et Classes Maternelles Publiques.

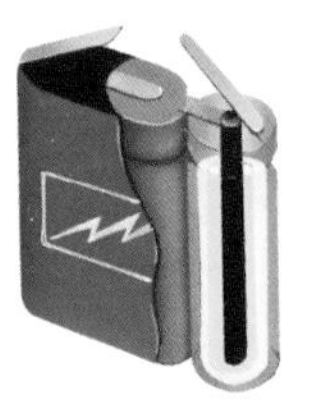

Conseil éditorial :
Jean-Pierre Verdet,
astronome à l'Observatoire de Paris.

ISBN : 2-07-039790-4

Dépôt légal : janvier 1992 - Numéro d'édition : 52103
Imprimé à la Editoriale Libraria en Italie.

GALLIMARD JEUNESSE

Des trésors d'énergie

DECOUVERTE BENJAMIN

Tu te lèves. Tu allumes ta lampe de chevet. Tu fais ta toilette. Tu prends ton petit déjeuner. Tu pars à l'école, à pied, en bus ou en vélo. Dès le matin, tu utilises de l'électricité, du gaz, du pétrole… et tes muscles.

Tu dépenses sans cesse de l'énergie!

Energie vient du mot grec energeia qui signifie «force en action». On dit qu'un corps ou un système dépense de l'énergie s'il est capable d'accomplir un travail. Pour accomplir un travail, il faut exercer une certaine force et il faut déplacer cette force.

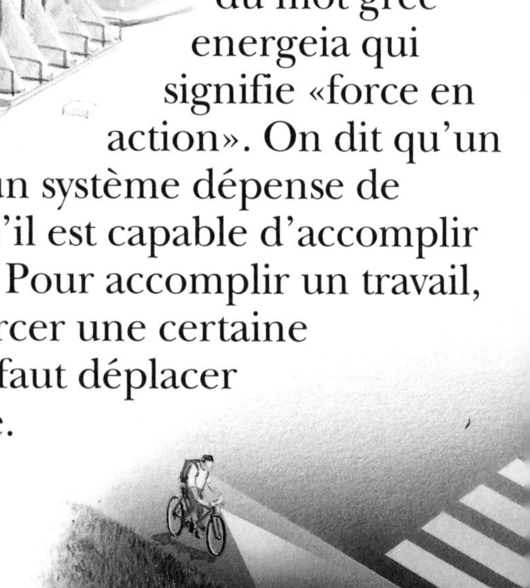

1. Barrage - 2. Four solaire - 3. Mine d'uranium - 4. Centrale nucléaire - 5. Eolienne (elle utilise l'énergie du vent) - 6. Centrale hydroélectrique (elle utilise l'énergie de l'eau) - 7. Mine de charbon - 8. Usine marémotrice - 9. Plate-forme de forage - 10. Raffinerie - 11. Gazéification du charbon - 12. Exploitation forestière - 13. Exploitation agricole avec production de gaz - 14. Maison solaire.

La nature nous offre de multiples sources d'énergie : le cours des fleuves, le flux et le reflux de la mer, le vent, les ressources du sous-sol, la végétation. Le soleil lui-même est une source d'énergie.

Le soleil chauffe l'eau des océans et la transforme en vapeur. La vapeur d'eau monte dans le ciel et y rencontre de l'air froid.

Notre grand fournisseur d'énergie est le soleil.

Grâce à lui, il y a du vent, l'eau s'évapore, les végétaux poussent, fournissant bois, charbon et pétrole. Il y a de l'eau dans l'air, dans les fleuves, dans la neige des montagnes, mais surtout dans les mers et les océans. Cette eau circule de la mer à l'atmosphère, mais l'eau de la terre n'est jamais perdue.

Végétaux, animaux et sédiments se déposent au fond de la mer. Les bassins se comblent peu à peu et le pétrole se forme.

L'air froid transforme la vapeur en gouttelettes qui forment les nuages. La pluie et la neige tombent, alimentant les rivières.

D'où vient le pétrole?

Pétrole signifie «huile de pierre». Il ne naît pourtant pas de la pierre! Les végétaux arrachés à la terre et les organismes vivants se déposent au fond de la mer et sont emprisonnés par des débris de terre qui se transforment en roches. Là, le pétrole se forme lentement. Les mouvements de l'écorce terrestre chassent vers le haut les poches de pétrole.

Le relief se transforme. La mer peut revenir. Les réserves de pétrole sont atteintes par des forages en mer ou sur terre.

La noria puise l'eau. Un animal entraîne une roue dentée qui actionne une autre roue munie de godets.

La première énergie que nous avons utilisée est la nôtre et celle des animaux.

Le bœuf qui fait tourner la noria ou qui tire la charrue de toutes ses forces effectue un travail, il puise de l'eau ou laboure. Il déplace sa force musculaire pour effectuer son travail. On dit qu'il dépense de l'énergie.

Aujourd'hui, il est rare de voir des bœufs tirer une charrue.

D’une énergie à l’autre

A chaque seconde, les hommes dépensent de l’énergie. Heureusement, il existe beaucoup de formes d’énergie : mécanique, électrique, chimique, calorifique, nucléaire… Et l’on peut transformer une forme d’énergie en une autre : une pile transforme de l’énergie chimique en énergie électrique. En pédalant, tu produis du courant grâce à une dynamo qui transforme ton énergie musculaire en énergie électrique.
A l’intérieur de la dynamo, il y a un aimant et un enroulement de fil conducteur reliés à la rotation de la roue.

En tournant autour de l’aimant, l’enroulement produit l’électricité qui alimente le phare de ton vélo.

Qu'est-ce que l'énergie électrique?

Il n'y a pas de gisements d'électricité comme il y a des gisements de charbon ou de pétrole. L'électricité se fabrique à partir d'une autre énergie. Edison, en 1882, équipa New York d'une centrale électrique au charbon pour éclairer la ville. Une centrale fonctionne comme la dynamo du vélo : un grand enroulement de fil conducteur tourne autour d'un gros aimant.

Lorsqu'un courant électrique passe dans un fil, des milliards d'électrons se déplacent en bousculant les atomes du fil métallique. Cette bousculade produit de la chaleur. C'est pourquoi le filament des ampoules chauffe et brille.

La première ampoule électrique est due à Edison : il a eu l'idée de faire le vide dans l'ampoule. Sans oxygène, le filament chauffe sans se consumer.

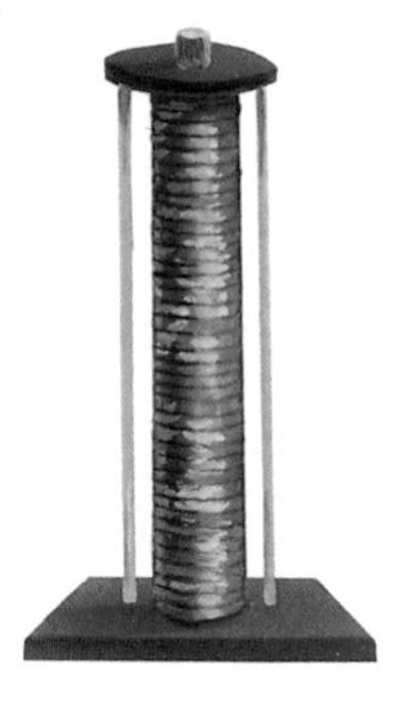

De l'électricité en conserve

L'énergie électrique est difficile à conserver. Toutefois, on sait mettre en conserve de petites quantités d'électricité grâce aux piles et aux batteries.

La première pile fut inventée par l'Italien Volta, vers 1800. Elle était faite d'un empilement (d'où le nom de pile) de disques de zinc et de cuivre séparés par des tampons de tissu imbibé d'eau salée.

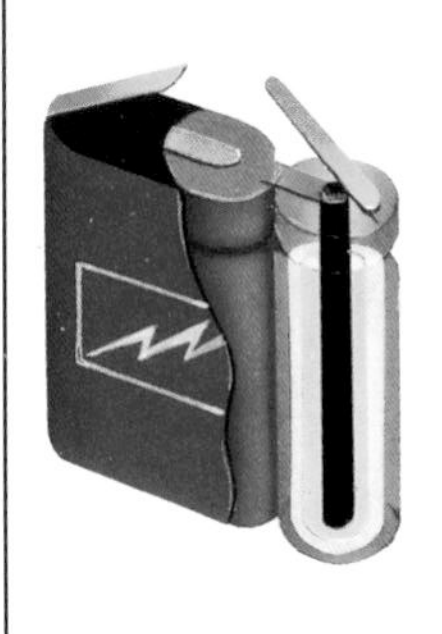

Dans cette pile sèche, le courant passe entre le barreau central en charbon et l'enveloppe en zinc.

Aujourd'hui, il existe toutes sortes de piles. Elles transforment toutes de l'énergie chimique en énergie électrique. Une fois leur réserve d'électricité épuisée, elles deviennent toutes inutilisables.

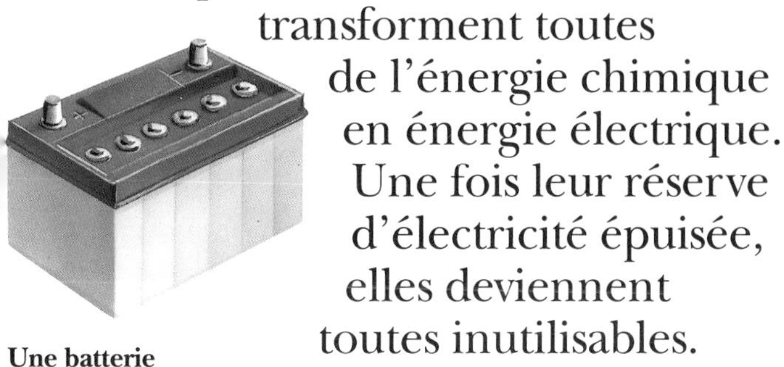

Une batterie

Les batteries, comme les piles, sont des conserves d'électricité. A la différence des piles, les batteries peuvent être rechargées lorsque leur réserve d'électricité est épuisée.

Comme l'électricité se conserve mal, il faut la conduire, grâce à ces immenses pylônes et ces grands fils, depuis les centrales jusqu'aux villes et villages pour son utilisation immédiate.

L'énergie du vent est inépuisable, mais irrégulière.

Aujourd'hui, elle est peu utilisée, mais autrefois elle entraînait de nombreux moulins à moudre le blé.

Ici, tu vois un planeur, une éolienne qui fabrique de l'électricité, des moulins à vent, un bateau à voile et un petit char à voile.

Un moulin à eau

On peut aussi utiliser la force de l'eau pour produire de l'énergie.
Dans les pays où il y a peu de vent, mais des cours d'eau, on construisait des moulins à eau, pour moudre les céréales, pour extraire l'huile des plantes ou pour malaxer la pâte à papier.
Le courant fait tourner la grande roue verticale, laquelle entraîne une meule horizontale qui broie ou malaxe.

Un barrage hydroélectrique. L'eau poussée dans la conduite forcée fait tourner la turbine qui elle aussi se comporte comme une dynamo.

Dans un barrage, la force de l'eau chutant du sommet actionne les turbines qui produisent l'électricité. Cette énergie, par comparaison au charbon, appelé houille noire, qui alimentait les premières centrales, est dite houille blanche.
De plus, les barrages régulent souvent le cours des fleuves, évitant les inondations et la sécheresse.

L'énergie du feu

On peut se chauffer et s'éclairer en brûlant du bois ou du charbon de bois, mais le charbon est le combustible qui donne le plus de chaleur. Il est formé des débris d'arbres et de fougères géantes qui poussèrent sur terre, il y a environ 250 millions d'années. Les végétaux se sont décomposés, à l'abri de l'air, dans les fleuves et les marais pour devenir du carbone.

Dans les anciennes locomotives, la combustion du charbon transformait de l'eau en vapeur. La vapeur, en s'échappant brutalement, entraînait les roues.

Le charbon de bois est obtenu par la combustion du bois dans des meules où l'air n'est admis qu'en petites quantités.

Les premières mines de charbon étaient exploitées à la main. Le métier de mineur était dur et dangereux.

Aujourd'hui, le pétrole est une source d'énergie très utilisée.

La terre dispose de nombreuses sources de pétrole mais elles sont inégalement réparties.

Le transport du pétrole est donc une activité importante. Le pétrole voyage d'abord dans de gros tuyaux, les oléoducs, jusqu'à la mer (1). Là, il est chargé sur des pétroliers géants (2) qui l'emportent vers les grands ports industriels (3).

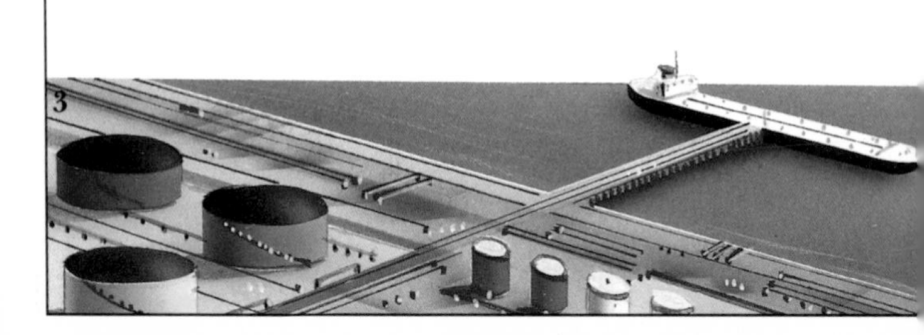

Dans ces ports, le pétrole est distillé et raffiné pour ses différentes utilisations (4).
Du pétrole, on tire l'essence pour les moteurs des automobiles; le kérosène,

pour l'éclairage et les moteurs à réaction; le gazole pour les moteurs diesel; le mazout, pour le chauffage.
Des camions-citernes transportent ces carburants vers un point de vente (5), comme une station-service (6).
Là, tes parents vont faire le plein du réservoir de leur voiture (6).

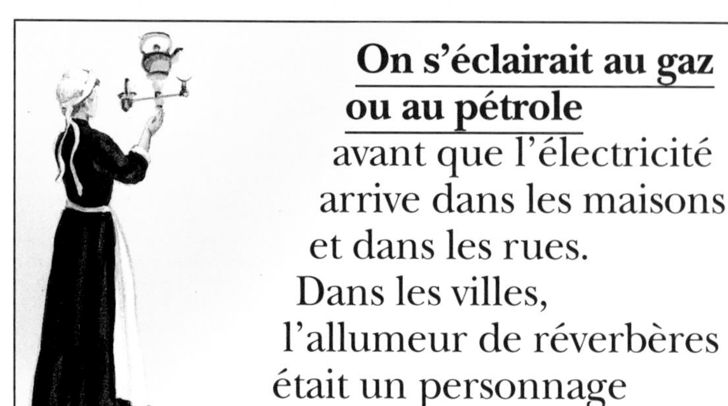

On s'éclairait au gaz ou au pétrole
avant que l'électricité arrive dans les maisons et dans les rues. Dans les villes, l'allumeur de réverbères était un personnage populaire. Jusque vers 1950, du gaz artificiel était fabriqué à partir de la houille et stocké dans de grandes cuves qui s'élevaient plus ou moins selon la quantité de gaz qu'elles contenaient.

Aujourd'hui, le gaz naturel remplace le gaz de houille.
On connaissait l'existence de grandes réserves de gaz naturel depuis très longtemps.

L'allumeur de réverbères

Mais son extraction et son transport étaient difficiles. Aujourd'hui, grâce aux progrès techniques, le gaz est transporté par d'immenses réseaux de tuyaux, les gazoducs, et par des bateaux appelés méthaniers.

L'origine du gaz naturel est à peu près la même que celle du pétrole. D'ailleurs, les gisements communs de pétrole et de gaz ne sont pas rares. Le gaz naturel est un mélange, mais son constituant principal est un gaz appelé méthane. Il est plus léger que l'air et inodore : le gaz livré en bouteille sent assez fort parce qu'il est intentionnellement parfumé pour que les fuites soient vite repérées.

Ces cuves à gaz qui montaient et descendaient défiguraient les abords des villes.

Pendant l'hiver, des légumes poussent à l'abri du froid dans des serres vitrées qui laissent pénétrer la lumière du soleil. Celle-ci chauffe le sol qui absorbe l'énergie lumineuse puis la restitue sous forme de rayons infrarouges. Comme le verre ne permet pas à l'infrarouge de s'échapper, la température monte dans la serre.

Qu'appelle-t-on les énergies propres?

La force des marées, l'eau chaude des geysers ou la lumière du soleil sont appelées ainsi parce qu'elles ne polluent pas. On dit aussi que ces énergies sont renouvelables : en fait, elles sont inépuisables!

Téléphone fonctionnant à l'aide de cellules photoélectriques

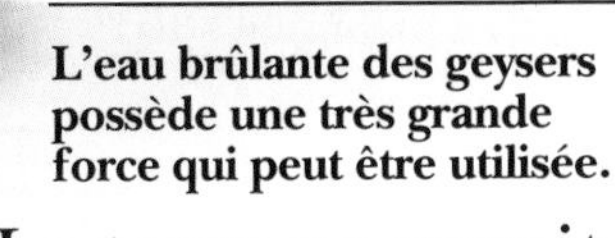

L'eau brûlante des geysers possède une très grande force qui peut être utilisée.

La terre ne reçoit qu'une toute petite partie du rayonnement du soleil, mais cette partie représente dix mille fois l'énergie dont nous avons besoin. La difficulté est de la capturer et de l'utiliser.
Les rayons du soleil sont déjà utilisés pour chauffer des maisons, comme les serres. L'énergie solaire peut aussi être transformée en électricité grâce aux cellules photoélectriques.

Maison solaire également équipée de panneaux de cellules photoélectriques

L'énergie nucléaire est née au XXe siècle.

Un atome : les électrons tournent autour du noyau.

Nucléaire vient du latin nucleus qui signifie «noyau». Les substances sont constituées d'atomes qui possèdent un noyau. Pour fabriquer l'énergie, les centrales nucléaires utilisent les atomes de métaux comme l'uranium 235 et le plutonium.

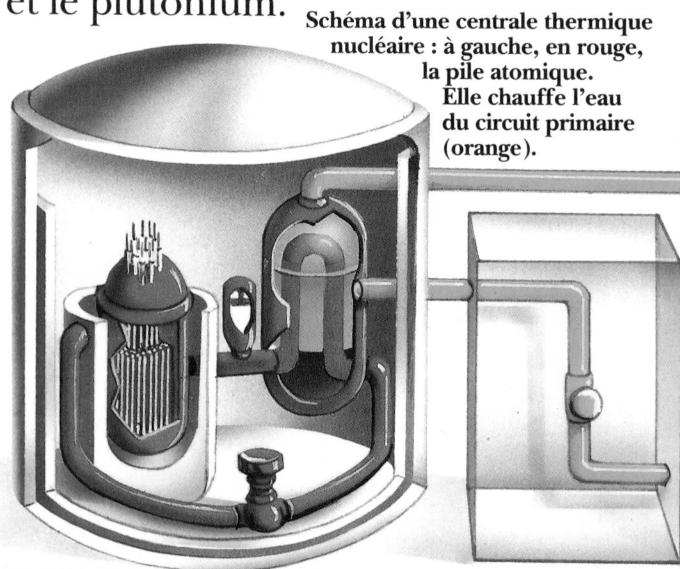

Schéma d'une centrale thermique nucléaire : à gauche, en rouge, la pile atomique. Elle chauffe l'eau du circuit primaire (orange).

Leur noyau se divise en deux en produisant une grande quantité de chaleur. Celle-ci fait bouillir de l'eau et la vapeur entraîne des turbines comme dans les centrales à charbon. Mais un gramme d'uranium 235 produit autant d'énergie que deux tonnes de charbon.

Symbole du danger nucléaire

Celle-ci transforme en vapeur l'eau du circuit secondaire (jaune). Cette vapeur fait tourner une turbine qui entraîne un alternateur, produisant ainsi de l'électricité. A droite, l'eau du circuit secondaire passe dans une tour de refroidissement.

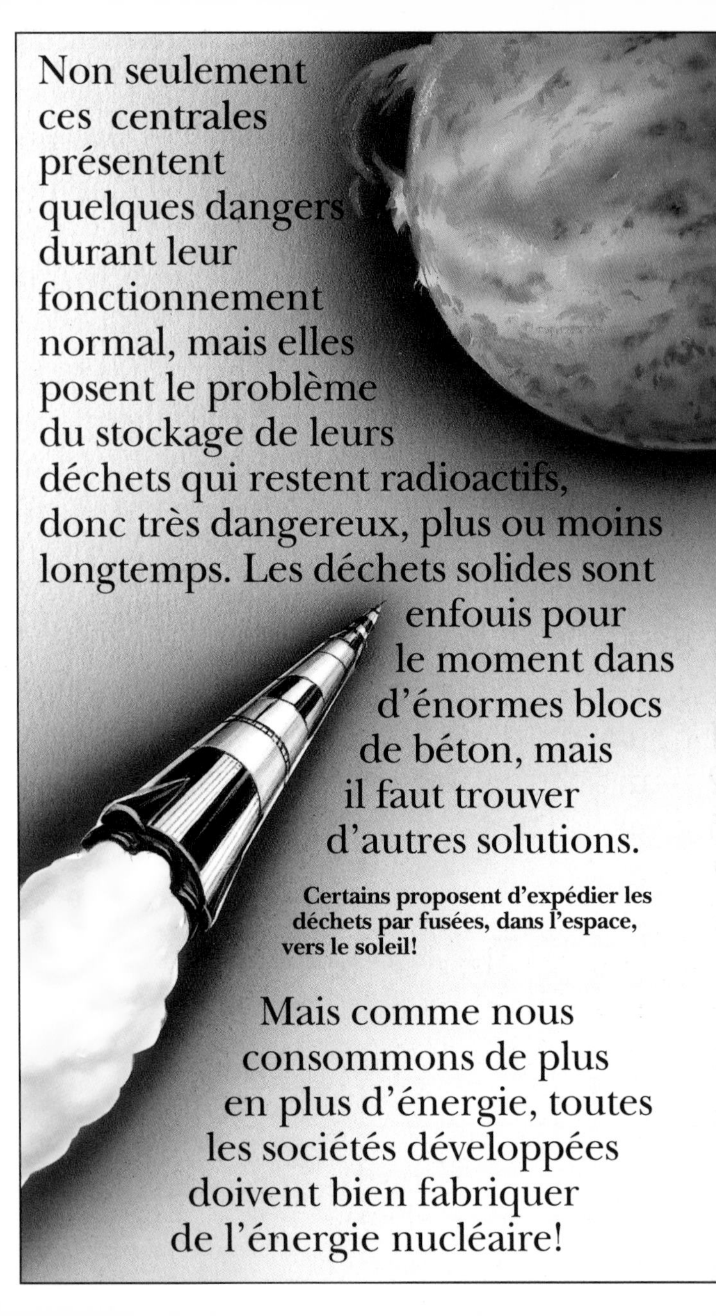

Non seulement ces centrales présentent quelques dangers durant leur fonctionnement normal, mais elles posent le problème du stockage de leurs déchets qui restent radioactifs, donc très dangereux, plus ou moins longtemps. Les déchets solides sont enfouis pour le moment dans d'énormes blocs de béton, mais il faut trouver d'autres solutions.

Certains proposent d'expédier les déchets par fusées, dans l'espace, vers le soleil!

Mais comme nous consommons de plus en plus d'énergie, toutes les sociétés développées doivent bien fabriquer de l'énergie nucléaire!

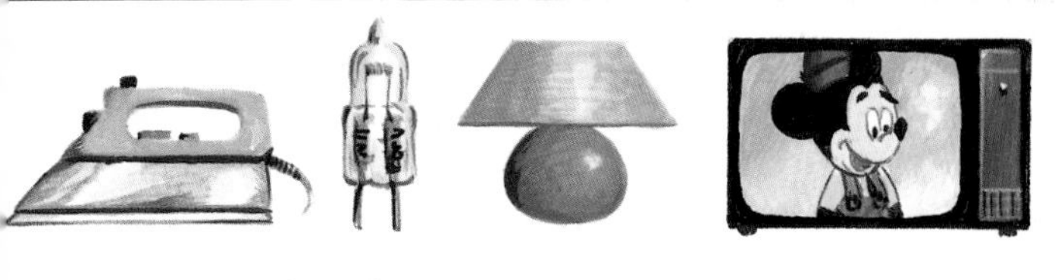

Comment limiter cette course
à l'énergie?
En faisant des économies d'énergie!
Cela nous concerne tous. Sais-tu
quelle est l'énergie dépensée lorsque
l'un de ces appareils fonctionne?
Compare leur consommation avec
celle d'une lampe de 60 watts
pendant 1 heure :
1 heure de télévision
égale 1 heure de lampe;
1 heure de réfrigérateur,
2 heures; 1 heure de lampe halogène,
5 heures; 2 minutes de micro-ondes,
1 demi-heure; 1 heure de repassage,
20 heures; 1 heure de nettoyage de
four par pyrolyse, 40 heures...
et un bon bain chaud,
8 heures! A toi de
choisir tes économies.

Si le bras libre du levier est 2 fois plus long que le bras chargé, lorsque tu abaisses ce bras libre de 2 cm, la charge s'élève de 1 cm, mais tu as soulevé cette charge deux fois plus facilement.

Comment décupler ton énergie? Utilise des leviers!

Ils amplifient l'effort que tu fournis.

Si les deux bras du levier sont égaux, lorsque tu abaisses une extrémité de 2 cm, l'autre s'élève également de 2 cm. Tout se passe comme si tu n'avais pas de levier.

Un levier est formé d'un bras (ici la poutre) et d'un pivot (tronc d'arbre).

Si le bras libre est deux fois plus court que le chargé, lorsque tu abaisses le bras libre de 2 cm, la charge monte de 4 cm. Mais il te faudra beaucoup de force!

Des leviers en tout genre

Sais-tu que tous ces objets, casse-noix, décapsuleur, ciseaux, balances, brouette... sont des leviers? Les balances permettent de mesurer le poids d'une charge. La roue de la brouette sert de pivot. En soulevant la brouette avec un léger effort, tu peux transporter un objet lourd. Les ciseaux et les casse-noix sont formés d'une paire de leviers. Certaines machines ou instruments sont composés de toute une série de leviers : par exemple une machine à écrire mécanique, ou un piano!

Le laboureur et ses enfants

Travaillez, prenez de la peine :
C'est le fonds qui manque le moins.

Un riche laboureur, sentant sa fin prochaine,
Fit venir ses enfants, leur parla sans témoins.
«Gardez-vous, leur dit-il, de vendre l'héritage
Que nous ont laissé nos parents :
Un trésor est caché dedans.
Je ne sais pas l'endroit; mais un peu de courage
Vous le fera trouver : vous en viendrez à bout.
Remuez votre champ dès qu'on aura fait l'oût :
Creusez, fouillez, bêchez; ne laissez nulle place
Où la main ne passe et repasse.»
Le père mort, les fils vous retournent le champ,
Deçà, delà, partout; si bien qu'au bout de l'an
Il en rapporta davantage.
D'argent, point de caché. Mais le père fut sage
De leur montrer, avant sa mort,
Que le travail est un trésor.

Jean de La Fontaine
Fables